TALENT

UNIQUE SURVIVANT

Scénario	**Chistopher GOLDEN** **Tom SNIEGOSKI**
Dessins	**Paul AZACETA**
Couleurs	**Ron RILEY**
Traduction	**Alex NIKOLAVITCH**
Lettrage	**GB One**
Remerciements à	**Ross RICHIE** **Marshall DILLON** **Ed DUKESHIRE**

CHRISTOPHER GOLDEN & TOM SNIEGOSKI

Ensemble ou séparément, Golden et Sniegoski ont laissé leur empreinte sur de nombreuses figures de la culture populaire américaine. Scénaristes pour Marvel et DC, romanciers et novélistes, ils ont rédigé de nombreuses aventures de **Buffy, Hellboy, King-Kong** ou la série **Smallville**. Christopher Golden est l'auteur de nombreux romans, dont **La Passerelle** (Fleuve Noir), une parabole horrifique sur le mystère de la création littéraire. Golden et Sniegoski travaillent aussi pour la télévision.

PAUL AZACETA

Paul Azaceta doit son talent à sa capacité d'observation. Il a déjà travaillé pour Marvel sur **Spider-man Unlimited** et sur **Captain Marvel**. Son amour des comics le pousse à développer un trait pur et réaliste et des expressions les plus naturelles possible. Il a dessiné **Grounded**, sur scénario de Mark Sable. Il vit avec son épouse à Bayonne, dans le New Jersey, où il travaille sur des titres tels que **Talent** ou **John Doe**, autant de titres dans la mouvance d'un John Paul Leon ou d'un Tommy Lee Edwards, dont on retrouve le sens de l'éclairage et l'encrage expressionniste.

Du même dessinateur dans la même collection
GROUNDED - Tombé du nid (scénario : Mark Sable)

COLLECTION DIRIGÉE PAR JEAN-MARC LAINÉ

BAMBOO ÉDITION
116, rue des Jonchères - BP 3
71012 CHARNAY-LÈS-MÂCON cedex
Tél. 03 85 34 99 09 - Fax 03 85 34 47 55
Site web : www.bamboo.fr
E-mail : bamboo@bamboo.fr

PREMIÈRE ÉDITION
Dépôt légal : juin 2007
ISBN 978-2-35078-240-9

Imprimé par PPO, France

VOL ATLANTIC 654, MERCI DE VOTRE PATIENCE. VOUS AVEZ L'AUTORISATION D'ATTERRIR. LA PISTE 41 EST DÉGAGÉE.

MESDAMES ET MESSIEURS, NOUS AVONS ENFIN OBTENU L'AUTORISATION DE NOUS POSER.

NOUS ENTAMONS NOTRE DESCENTE VERS L'AÉROPORT INTERNATIONAL NEW YORK-KENNEDY, ARRIVÉE DANS ENVIRON DIX-HUIT MINUTES.

QUE LE PERSONNEL DE BORD SE PRÉPARE À L'ATTERRISSAGE.

M. SMALL ? JE VOULAIS VOUS SOUHAITER BONNE CHANCE. VOUS SAVEZ, L'ÉQUIPAGE PENSE QUE VOUS METTREZ LE CHAMPION KO À LA PREMIÈRE REPRISE.

C'EST GENTIL. DITES-LEUR QUE J'ESSAIERAI DE NE PAS LES DÉCEVOIR. ILS PEUVENT PARIER SUR MOI.

JE PENSE QU'ILS L'ONT DÉJÀ FAIT...

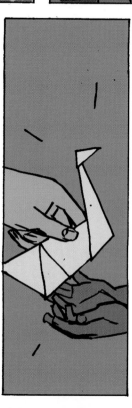

TOUT VA BIEN SE PASSER.

M. DANE ?

PARDON ?

TALENT

CE NE SONT PAS DES CONDITIONS IDÉALES, MAIS JE PENSE QU'ON DEVRAIT Y ARRIVER.

J'ESPÈRE BIEN, LIEUTENANT. MAIS AVEC CETTE TEMPÊTE, ON NE POURRA PAS UTILISER LA GRUE AVANT L'AUBE. AU MOINS. ET LES COURANTS DOIVENT PAS MAL SECOUER LES MORCEAUX DE L'AVION. ÇA METTRA VOS HOMMES EN DANGER...

MES HOMMES CONNAISSENT LEUR BOULOT, MONSIEUR. ON VA RETROUVER DES BOUTS DE FERRAILLE ET DES TAS DE CADAVRES.

JE VIENS DE REGARDER LE MANIFESTE. C'EST TELLEMENT BÊTE QUE SMALL AIT ÉTÉ SUR CE VOL...

HEIN ?

MARCUS SMALL... IL N'ÉTAIT PAS CENSÉ COMBATTRE DEMAIN AU MADISON SQUARE GARDEN ?

UN BOXEUR ? UN SEUL HOMME ?

IL DEVAIT DÉFIER LE CHAMPION. J'AVAIS PRIS LE PAY PER VIEW POUR REGARDER LE MATCH... MERDE, ÇA AURAIT ÉTÉ LE COMBAT DE LA DÉCENNIE...

ET DU COUP, ON SAURA JAMAIS COMMENT IL S'EN SERAIT TIRÉ...

ÇA ME CRUCIFIE, ARTIE...

"SMALL N'EST PLUS QU'UN CADAVRE PARMI 148 AUTRES..."

"JE SUIS SÛR QU'ILS AVAIENT TOUS DES PROJETS. DES VIES. DES GENS QUI LES ATTENDAIENT À LA FIN DU VOYAGE..."

"LEURS VIES SONT TERMINÉES. AUCUN D'ENTRE EUX NE RENTRERA PLUS À LA MAISON..."

"ALORS UN BONHOMME NE M'EMPÊCHERA PAS DE DORMIR. QUEL QU'IL SOIT."

"TRÈS BIEN... ALORS QU'AVONS-NOUS, À CE STADE ? DES RAISONS DE PENSER QUE C'ÉTAIT UN ATTENTAT TERRORISTE ?"

L'AVION AVAIT EU UNE VISITE D'ENTRETIEN AVANT-HIER. ET LA TEMPÊTE N'ÉTAIT PAS ASSEZ VIOLENTE POUR L'ABATTRE.

CE QUE MADAME LA DÉPUTÉE ESSAIE FORT POLIMENT DE NOUS DIRE, SÉNATEUR, C'EST QUE JUSQU'À PLUS AMPLE INFORMATION, NOUS DEVONS SUPPOSER QU'IL S'AGIT BIEN D'UN ATTENTAT.

MERCI, M. KRAUSE, MAIS JE NE CROIS PAS AVOIR BESOIN D'UN INTERPRÈTE.

C'EST CE QUE VOUS SEMBLEZ CROIRE, EN EFFET.

DU CALME, MADELEINE... M. KRAUSE A ÉTÉ NOMMÉ DANS CETTE COMMISSION POUR DE BONNES RAISONS. JE PENSE QUE SON EXPERTISE NOUS SERA FORT UTILE.

KNOCK

EH BIEN, MESDAMES ET MESSIEURS, VOILÀ UN DÉVELOPPEMENT DU PLUS HAUT INTÉRÊT. IL SEMBLERAIT QUE L'ÉQUIPE DE SECOURS AIT REPÊCHÉ UN SURVIVANT.

MAIS... C'EST IMPOSSIBLE !

APPAREMMENT, NON.

PERSONNE NE PEUT SE TIRER D'UN CRASH PAREIL.

ET POURTANT, CET HOMME, CE... NICHOLAS DANE... VIENT DE LE FAIRE. IL A ÉTÉ ADMIS DANS UN HÔPITAL DE MANHATTAN. D'APRÈS CE RAPPORT, JE CITE : "IL ÉTAIT EN TRAIN DE SE NOYER QUAND UN PLONGEUR L'A REPÉRÉ".

SÉNATEUR, C'EST...

IL A PASSÉ AU MOINS DOUZE HEURES SOUS L'EAU AVANT D'ÊTRE DÉCOUVERT. MÊME S'IL AVAIT SURVÉCU À L'IMPACT, IL AURAIT DÛ SE NOYER INSTANTANÉMENT.

EXACTEMENT...

ALORS QU'EST-CE QUE C'EST ? UN MIRACLE ? C'EST CE QUE VOUS NOUS SUGGÉREZ ?

JE NE CROIS PAS AUX MIRACLES.

IL SE PEUT QUE LE RAPPORT SOIT INCORRECT. NOUS DEVONS NOUS RENSEIGNER, AVANT DE RÉFLÉCHIR À CE QUI EST POSSIBLE OU PAS.

SHERLOCK HOLMES DISAIT : "UNE FOIS ÉLIMINÉ L'IMPOSSIBLE, CE QUI RESTE, SI IMPROBABLE QUE CE SOIT, DOIT ÊTRE LA VÉRITÉ".

MÊME HOUDINI N'ARRIVERAIT PAS À RETENIR SON SOUFFLE PENDANT DOUZE HEURES, SÉNATEUR. ÇA, C'EST NOTRE IMPOSSIBLE À ÉLIMINER.

CE QUI NOUS LAISSE L'IMPROBABLE. SI LE RAPPORT EST CORRECT, LA SEULE FAÇON DONT M. DANE PEUT AVOIR SURVÉCU IMPLIQUE QU'IL AIT ÉTÉ COMPLICE DE L'ATTENTAT.

IL EST POSSIBLE QU'IL AIT ATTEINT L'ÉPAVE JUSTE AVANT LES PLONGEURS, MAIS IL FIGURE BIEN SUR LA LISTE DES PASSAGERS. UNE LISTE DIFFICILE À FALSIFIER. S'IL ÉTAIT BIEN À BORD DE L'AVION, IL DEVAIT AVOIR UNE SOURCE D'OXYGÈNE.

MAIS L'IMPACT AURAIT DÛ LE TUER. C'EST ABSURDE.

A-T-ON LA MOINDRE IDÉE DE LA FAÇON DONT CET HOMME A SURVÉCU ?

À VOUS DE JOUER, DAVID. DÉCOUVREZ EXACTEMENT CE QUI SE PASSE. ESPÉRONS QU'IL S'AGISSE JUSTE D'UN BON VIEUX MIRACLE.

CES CHOSES-LÀ N'EXISTENT PAS, SÉNATEUR. J'EN SAIS QUELQUE CHOSE.

BONJOUR M. DANE. ÇA A L'AIR D'ALLER...

C'ÉTAIT ÇA OU LA NOYADE. ALORS ÇA VA, OUI. MERCI.

REMERCIEZ AUSSI LES AGENTS DE SÉCURITÉ, AU PASSAGE. LE HALL A ÉTÉ ENVAHI PAR LES MÉDIAS.

ILS RACONTENT ENCORE QUE J'AI ÉTÉ TOUCHÉ PAR DIEU ?

PIRE ENCORE.

C'EST UN JOLI TALENT. VOUS AVEZ DÛ METTRE LONGTEMPS À APPRENDRE À FAIRE ÇA...

LE DR KRAKAUER VIENDRA BIENTÔT VOUS VOIR, JE PENSE. IL FAIT SA RONDE...

SUPER. J'EN BAVE D'AVANCE.

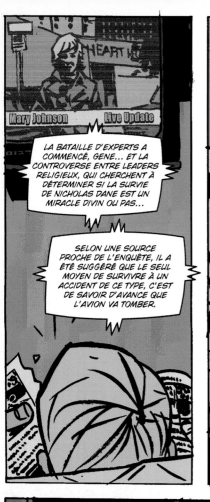

LA BATAILLE D'EXPERTS A COMMENCÉ, GENE... ET LA CONTROVERSE ENTRE LEADERS RELIGIEUX, QUI CHERCHENT À DÉTERMINER SI LA SURVIE DE NICHOLAS DANE EST UN MIRACLE DIVIN OU PAS...

SELON UNE SOURCE PROCHE DE L'ENQUÊTE, IL A ÉTÉ SUGGÉRÉ QUE LE SEUL MOYEN DE SURVIVRE À UN ACCIDENT DE CE TYPE, C'EST DE SAVOIR D'AVANCE QUE L'AVION VA TOMBER.

CAROLINE, LES AUTORITÉS SERAIENT-ELLES EN TRAIN DE SUGGÉRER QUE NICHOLAS DANE FAIT PARTIE D'UN GROUPE TERRORISTE QUI AURAIT ABATTU LE VOL 654 ?

MERDE...

PERSONNE N'EN SAIT RIEN POUR L'INSTANT, GENE. COMMENT UN PROFESSEUR DE LYCÉE DE 34 ANS A-T-IL PU SURVIVRE À L'EXPLOSION DE L'APPAREIL, PUIS À UN SÉJOUR DE SEIZE HEURES DANS L'EAU GLACÉE EST UN MYSTÈRE QUI OCCUPERA PAS MAL DE MONDE CES PROCHAINS JOURS...

ET C'EST RIEN DE LE DIRE...

EXCUSEZ-MOI DE VOUS DÉRANGER, M. DANE. JE M'APPELLE KRAUSE, ET JE FAIS PARTIE DE LA COMMISSION D'ENQUÊTE SUR LA CHUTE DU VOL 654.

LA CHUTE ? VOILÀ UNE EXPRESSION QUI OCCUPERAIT UN LINGUISTE PENDANT UN JOUR OU DEUX. NI EXPLOSION NI CRASH... CHUTE... QUE PUIS-JE FAIRE POUR VOUS, M. KRAUSE ?

JUSTE RÉPONDRE À QUELQUES QUESTIONS, S'IL VOUS PLAÎT.

JE NE FAIS QUE ÇA DEPUIS MON RÉVEIL. JE VAIS FINIR PAR CROIRE QUE ÇA FAIT PARTIE DE MON TRAITEMENT.

VOUS ÊTES MIEUX SANS MOUSTACHE. ÇA NE VOUS ALLAIT PAS.

TRÈS BIEN, FINI DE JOUER, DANE. JE NE SAIS PAS D'OÙ VOUS SORTEZ, MAIS JE VAIS BIEN FINIR PAR TROUVER. À LA PREMIÈRE HEURE DEMAIN, JE VOUS EXPLIQUERAI CE QU'ON FAIT DES TERRORISTES, DANS CE PAYS !

VOUS VOUS FOUTEZ DE MOI ? JE NE SUIS QU'UN PROFESSEUR DE LYCÉE, ET MÊME PAS UN BON. ET VOUS CROYEZ QUE JE SUIS UN TERRORISTE ?

JE NE SAIS PAS CE QUE VOUS ÊTES, MAIS JE SAIS QUE PERSONNE NE PEUT SURVIVRE À SEIZE HEURES SOUS L'EAU. PERSONNE. ET LES MIRACLES ? LES MIRACLES, C'EST MAUVAIS POUR LE MORAL DES GENS. ÇA LEUR DONNE DE FAUX ESPOIRS, M. DANE. ET DES GENS COMME VOUS SONT CE QUI TERRORISE L'AMÉRIQUE PROFONDE.

JE PENSE QUE VOUS DEVRIEZ PARTIR, M. KRAUSE.

POUR L'INSTANT, C'EST D'ACCORD. MAIS JE VAIS FAIRE PLACER UN GARDE DEVANT VOTRE PORTE. ET DEMAIN, NOUS VOUS FERONS TRANSFÉRER DANS UN HÔPITAL MILITAIRE, ET ON DISCUTERA DE LA FAÇON DONT CETTE BOMBE A ÉTÉ POSÉE. ET ON VERRA SI VOUS FEREZ TOUJOURS AUTANT LE MALIN.

VOUS NE POUVEZ PAS FAIRE ÇA SANS MON ACCORD.

VOUS SERIEZ SURPRIS DE SAVOIR CE QUE JE PEUX FAIRE.

INFIRMIÈRE ! APPELEZ LA SÉCURITÉ. CET HOMME ME HARCÈLE.

MONSIEUR, JE DOIS VOUS DEMANDER DE PARTIR.

À DEMAIN, ALORS.

MANQUAIT PLUS QUE ÇA...

JE NE SAIS PAS QUI C'EST, SÉNATEUR.

MAIS IL EST PLUS QU'UN SIMPLE PROFESSEUR D'ANGLAIS, EN TOUT CAS.

OUI, MONSIEUR, JE VOUS FAIS UN RAPPORT COMPLET DÈS QU'ON L'AURA DÉMÉNAGÉ.

RING

KRAUSE.

CLICK

NON, VOTRE ÉMINENCE. J'IGNORE POUR QUI IL TRAVAILLE. MAIS ÇA A RAPPORT AVEC NOS ACTIVITÉS. ÇA NE PEUT PAS ÊTRE UNE COÏNCIDENCE.

OUI, VOTRE ÉMINENCE, J'AI ENVISAGÉ LA POSSIBILITÉ D'UN MIRACLE.

OUI, VOTRE ÉMINENCE. JE PEUX PARLER LIBREMENT.

ET SI C'EN EST UN ? VOUS SAVEZ CE QUI VOUS RESTERA À FAIRE, M. KRAUSE ?

MERCI.

MESSIEURS...

OÙ EN ÉTIONS-NOUS ?

NOUS CHERCHIONS À TROUVER UN CONSENSUS SUR LA FAÇON DE REMETTRE NOTRE AMI LIBYEN DANS LE DROIT CHEMIN.

AH OUI, CERTES...

TUEZ SA FILLE.

QUE RESTAIT-IL SUR L'ORDRE DU JOUR, SINON ?

ALLÔ ?

ALLÔ ? JE VAIS RACCROCHER, HEIN ! ALLÔ ?

C'EST DENNY ?

QUI EST À L'APPAREIL ?

J'ÉTAIS À BORD DE L'AVION. AVEC SHIZUKO. ELLE VEUT QUE VOUS SACHIEZ QU'ELLE EST DÉSOLÉE, QU'ELLE NE VOULAIT PAS VOUS FAIRE DU MAL.

QUI EST-CE ? VOUS LUI AVEZ PARLÉ ? QUEL EST VOTRE NOM ?

ELLE VOUS AIME BEAUCOUP.

QUI EST À L'APPAREIL ? S'IL VOUS PLAÎT... QU'A-T-ELLE DIT D'AUTRE ?

CLICK

LE PRÉSIDENT N'A PAS VOULU FAIRE DE COMMENTAIRE.

UNE NAISSANCE HIER SOIR AU ZOO DE SAN DIEGO.

PRINCESS, UN TIGRE BLANC DE SIBÉRIE, A DONNÉ NAISSANCE À UN PETIT PESANT DEUX KILOS, QUI A ÉTÉ BAPTISÉ MONGO.

C'EST LA PREMIÈRE NAISSANCE D'UN TIGRE DE SIBÉRIE À SAN DIEGO EN PLUS DE DIX ANS.

LA MÈRE ET LE PETIT SE PORTENT BIEN.

HÉ...

ET MAINTENANT, UN MESSAGE SPÉCIAL POUR NICHOLAS DANE.

QUOI ?

CET HOMME N'EST PAS UN INFIRMIER. IL A ÉTÉ CHARGÉ DE VOUS TUER.

DANGER DANGER

VOUS AVEZ ENTENDU ÇA, OU JE SUIS EN TRAIN DE DEVENIR DINGUE ?

NE BOUGEZ PAS. ÇA NE FERA PAS MAL...

CE N'EST QU'UN MAUVAIS MOMENT À PASSER.

FAP

CRACK!

CLOK!

PARTEZ, NICHOLAS.

D'AUTRES VONT BIENTÔT ARRIVER.

NICHOLAS ?

MAIS QU'EST-CE QUI SE PASSE, BON SANG ? ET QUI ÊTES-VOUS ? CE TYPE A ESSAYÉ DE ME TUER, ET J'AIMERAIS BIEN SAVOIR POURQUOI ? JE DEVIENS DINGUE, C'EST ÇA ?

MON PAUVRE... TOUT SERA RÉVÉLÉ EN TEMPS VOULU. MAIS POUR L'INSTANT, VOUS DEVEZ PARTIR. ILS N'ARRÊTERONT PAS TANT QUE VOUS SEREZ EN VIE. ET ILS TENTERONT D'EXTRAIRE VOS SECRETS DE VOTRE CADAVRE.

FLIK!

VOUS VOUS FICHEZ DE MOI...

J'ÉTAIS EN VILLE ET J'AI DÉCIDÉ D'EN PROFITER UN PEU AVANT DE RETOURNER À WASHINGTON...

SI VOUS VOULEZ BIEN M'EXCUSER, MESSIEURS...

RING RING RING

OUI ?

NOTRE MIRACULÉ S'EST ÉCHAPPÉ MALGRÉ VOS EFFORTS POUR L'ÉLIMINER.

JE VIENS D'ÊTRE MIS AU COURANT. J'ESSAIE DE RÉUNIR UNE ÉQUIPE DE RECHERCHE.

CE NE SERA PAS NÉCESSAIRE, CARDINAL MONTAIGU. DONNEZ-MOI JUSTE UN PEU DE TEMPS ET... CLICK

ET MERDE...

C'EST LA SECONDE FOIS QUE VOUS ME DÉCEVEZ, DAVID. QUELQUE CHOSE NE VA PAS ?

PEUT-ÊTRE AVEZ-VOUS BESOIN D'AIDE...

OH, NICK...

EST-CE QUE ÇA TE CONSOLERAIT QUE JE TE RAPPELLE QUE LES AUTORITÉS LE SOUPÇONNENT DE TERRORISME ?

COMMENT PEUX-TU DIRE UNE CHOSE PAREILLE ? TU AS DÉJÀ RENCONTRÉ NICK... IL EST CAPABLE D'ÊTRE TRÈS CON, PARFOIS, MAIS CE N'EST PAS UN TERRORISTE !

JE SAIS, BARB... JE NE L'AIME PAS BEAUCOUP, MAIS JE TROUVE ÇA GROS, COMME HISTOIRE...

KNOK KNOK

QUI EST-CE QUE ÇA PEUT ÊTRE ? JE REVIENS...

KNOK KNOK

OUAIS, OUAIS, J'ARRIVE !

QUI EST-CE ?

VOUS AVEZ UNE IDÉE DE L'HEURE QU'IL...

SEIGNEUR ...

Mesdames et messieurs, voilà un développement du plus haut intérêt.
Il semblerait que l'équipe de secours ait repêché un survivant.

Personne ne peut se tirer d'un crash pareil.
Et pourtant, cet homme, ce… Nicholas Dane… Vient de le faire.

Il a été admis dans un hôpital de Manhattan.
D'après ce rapport, je cite : "il était en train de se noyer quand un plongeur l'a repéré".
Il a passé au moins douze heures sous l'eau avant d'être découvert.

Même s'il avait survécu à l'impact, il aurait dû se noyer instantanément.
Alors qu'est-ce que c'est ? **Un miracle ?**

PITIÉ ! ME TUEZ PAS ! NE...

TU VOULAIS SAVOIR CE QUE NOUS VOULIONS, RUTH... EH BIEN NOUS TE VOULONS TOI.

VOUS... TRÈS BIEN, JE VAIS COOPÉRER ! JE VOUS JURE ! MON PÈRE A PLEIN D'ARGENT ET...

IL VOUS PAIERA LA RANÇON. TANT QUE VOUS NE ME FEREZ PAS DE MAL.

UNE RANÇON ?

SON NOM C'EST REPENT. R.E.P.E.N.T. EN VRAI.

T'EN PENSES QUOI ?

DÉSOLÉE, MA PETITE RUTH, MAIS ON N'EST PAS LÀ POUR ÇA...

MON DIEU...

VOILÀ, TU AS TOUT COMPRIS. C'EST À PROPOS DE DIEU, EN EFFET. L'ARGENT DE TON PÈRE NE NOUS INTÉRESSE PAS.

NOUS VOULONS QU'IL PERDE LA FOI.

"QU'EST-CE QUE TU COMPTES FAIRE, SONNY ?"

"ME TUER ?"

JE PEUX FAIRE DE TOI CE QUE JE VEUX, VICTORIA. TU M'APPARTIENS.

QU'EST-CE QUE TU ME VEUX ? MARCUS EST MORT ! SI JE POUVAIS LE RAMENER, JE LE FERAIS !

OUAIS. MARCUS EST MORT. DOMMAGE QUE CE NE SOIT PAS ARRIVÉ PLUS TÔT.

TON MARI ÉTAIT CENSÉ SE COUCHER, VICKY ! MAIS IL S'EST FAIT DES IDÉES ! IL VOULAIT SE MESURER AU CHAMPION ! ALORS IL A TENU, ET PAS MAL DE GENS VEULENT LEUR POGNON, À PRÉSENT. CE PETIT SALAUD N'A EU QUE CE QU'IL MÉRITAIT !

BON SANG, SONNY... TU N'ES PAS EN TRAIN DE NOUS DIRE QUE TU AS SABOTÉ CET AVION, QUAND MÊME ?

MAIS VOUS ÊTES DINGUES ? JE VAIS QUAND MÊME PAS TUER DEUX CENTS PERSONNES POUR EN CHOPER UNE ! C'EST PAS COMME ÇA QUE ÇA SE DANSE !

MAIS J'AURAIS BIEN AIMÉ LE FAIRE, TIENS...

C'EST TERMINÉ, DE TOUTE FAÇON. IL EST MORT. IL NE PEUT PLUS RIEN POUR TOI. NI POUR MOI.

TU ES ENCORE PLUS CONNE QUE TU EN AS L'AIR. APRÈS CE QUE VOUS M'AVEZ FAIT, TOI ET TON MARI... VOUS M'AVEZ PRIS MON POGNON ET POURRI MA RÉPUTATION. TU T'EN TIRERAS PAS COMME ÇA.

TU M'APPARTIENS, À PRÉSENT. TU N'IRAS NULLE PART.

UN OREILLER, M. DANE ? VOUS AVEZ L'AIR D'AVOIR BESOIN DE SOMMEIL.

ON SE CONNAÎT ? VOTRE VISAGE M'EST FAMILIER. MAIS JE NE VOUS REMETS PAS...

DISONS QUE JE VOUS PROTÈGE, D'UNE CERTAINE FAÇON.

MAINTENANT ? TOUT, NICHOLAS. TU ES DOUÉ DE GRANDS TALENTS. ET CHARGÉ D'UNE GRANDE RESPONSABILITÉ.

RESPONSABILITÉ VIS-À-VIS DE QUI ?

MAIS QU'EST-CE QUE J'AI DE SI SPÉCIAL ?

"MARCUS... TU AURAIS DÛ TE COUCHER. TU AS MIS VICKY DANS UNE TELLE SITUATION..."

NICHOLAS ?

OUAIS ? ENTRE.

TU ES SÛR QUE ÇA VA ? JE T'AI ENTENDU CRIER...

MERCI, BARB... CE N'ÉTAIT QU'UN CAUCHEMAR.

MERCI DE M'AVOIR PERMIS DE RESTER. JE NE M'IMPOSERAI PAS LONGTEMPS, PROMIS.

C'EST RIEN, C'EST RIEN...

JE NE SAIS PAS CE QUI SE PASSE. ET JE NE PENSE PAS QUE TU SACHES NON PLUS. MAIS POUR CE QUE ÇA VAUT, JE SAIS QUE TU N'AS PAS FAIT CE DONT ON T'ACCUSE.

ÇA VAUT BEAUCOUP, POUR MOI. MERCI.

BONNE NUIT.

SI J'Y COMPRENAIS QUELQUE CHOSE...

QUELLE PETITE PUTE... SI TU T'ÉTAIS LAISSÉE FAIRE, J'AURAIS PAS EU À M'ÉNERVER.

MAIS PEUT-ÊTRE QUE DEMAIN SOIR, TU AURAS COMPRIS CERTAINES CHOSES... J'AI TOUT MON TEMPS.

J'ESPÈRE QUE C'EST IMPORTANT !

QUI EST À L'APPAREIL ? OÙ AVEZ-VOUS EU CE NUMÉRO ?

TU SAIS PAS À QUI TU TE FROTTES, BONHOMME !

AU CONTRAIRE, JE LE SAIS PARFAITEMENT, SONNY. ALORS ÉCOUTE-MOI BIEN ! JE VAIS RÉCUPÉRER VICTORIA. ET SI TU TE METS EN TRAVERS DE MA ROUTE, C'EST TOI QUI DEVRAS TE COUCHER.

MARCUS ?

MAIS... PERSONNE N'ÉTAIT AU COURANT... PERSONNE ! SMALL EST MORT !

IL EST MORT !

"DE QUOI TE SOUVIENS-TU, NICHOLAS ?"

IL DOIT BIEN TE RESTER QUELQUE CHOSE ?

EXPLOSION ? COUPS DE FEU ?

JE ME SOUVIENS D'UNE FEMME...

"UNE HÔTESSE DE L'AIR. JE NE L'AVAIS PAS REMARQUÉE AVANT QU'ELLE NE M'ADRESSE LA PAROLE."

"ELLE M'A DIT QUE TOUT IRAIT BIEN."

"ET POUR UN INSTANT..."

UN INSTANT SEULEMENT... JE L'AI CRUE.

PUIS TOUT EST DEVENU NOIR.

JE NE SUIS PAS UN TERRORISTE. JE SAIS À QUOI ÇA RESSEMBLE, ET JE SAIS QU'ON EST PAS VRAIMENT UNE FAMILLE, MAIS J'APPRÉCIE VOTRE CONFIANCE.

JE COMPRENDS BIEN, MAIS LE JOURNAL POUR LEQUEL JE BOSSE ET NOTRE CHARMANT GOUVERNEMENT ONT L'AIR DE CROIRE UNE AUTRE VERSION.

NEW YORK TODAY

RRORISTE EN FUITE

LE SUSPECT DE L'ATTENTAT DU VOL 654 S'ÉCHAPPE

POURQUOI T'ES-TU ENFUI, NICK ? C'EST SUSPECT...

T'AS RAISON, C'EST PIRE QUE SUSPECT, LÀ. MAIS CE N'EST PAS COMME SI J'AVAIS EU LE CHOIX. ON A ESSAYÉ DE ME TUER À L'HÔPITAL, ET J'AI EU COMME DES...

TE TUER ?

MAIS POURQUOI VOUDRAIT-ON TE TUER ?

SI SEULEMENT JE LE SAVAIS ! DEPUIS LE CRASH, LES CHOSES SONT TELLEMENT ÉTRANGES. JE PEUX FAIRE DES TRUCS QUE JE NE SAVAIS PAS FAIRE AVANT... JE N'Y COMPRENDS PAS GRAND-CHOSE, MAIS J'AI CES... TALENTS...

ET QUEL RAPPORT AVEC UNE TENTATIVE DE TE TUER ?

IL Y AVAIT UN TYPE DÉGUISÉ EN INFIRMIER ! IL VOULAIT ME PIQUER AVEC QUELQUE CHOSE, ET C'ÉTAIT *PAS* UN MÉDICAMENT !

COMMENT SAIS-TU QUE CE N'ÉTAIT PAS UN VRAI INFIRMIER ?

IL FAISAIT SEMBLANT DE FAIRE AUTRE CHOSE, ET PUIS IL A SORTI UNE SERINGUE DE SA POCHE, VITE FAIT.

ET IL N'ÉTAIT PAS LÀ POUR ME SOIGNER, JE L'AI BIEN VU.

MAIS C'EST PAS ÇA L'IMPORTANT. ON S'EST BATTUS, ET JE LUI AI MIS SA MISÈRE.

TOI ? MAIS TU NE T'ES JAMAIS BATTU DE TA VIE.

JE N'AI JAMAIS GAGNÉ, EN TOUT CAS. JUSQU'À MAINTENANT.

ALORS TU T'ES BATTU AVEC CE TYPE, ET D'UN COUP, TU SAVAIS TE BATTRE. JE NE COMPRENDS PAS TOUT, LÀ...

JE SAVAIS BOXER. ET C'EST VENU D'UN COUP. PEUT-ÊTRE QUE JE DEVIENS DINGUE.

C'EST UNE HYPOTHÈSE SÉDUISANTE.

ÇA FAIT MAL !

BIEN.

DONC, MAINTENANT TU SAIS BOXER. ET IL Y A D'AUTRES TRUCS QUE TU NE SAVAIS PAS FAIRE QUE TU MAÎTRISES À PRÉSENT. MAIS POURQUOI CHERCHE-T-ON À TE TUER POUR ÇA ?

JE NE SAIS PAS. IL Y AVAIT UN TYPE DU GOUVERNEMENT. IL EST VENU ME VOIR, ET IL M'A FAIT FLIPPER.

IL S'APPELAIT KRAUSE.

JUSTE PAR PURE CURIOSITÉ MORBIDE, EXPLIQUEZ-MOI PRÉCISÉMENT COMMENT DANE S'EST ÉCHAPPÉ...

JE SUIS ENTRÉ DANS LA CHAMBRE DU SUJET, DÉGUISÉ EN INFIRMIER, ET J'AI TENTÉ DE LUI ADMINISTRER UNE INJECTION MORTELLE.

OUI, ÇA, J'AVAIS COMPRIS. MAIS COMMENT S'EN EST-IL SORTI ?

EH BIEN... IL Y A EU UNE LUTTE...

ET VOUS AVEZ PERDU.

EN EFFET, MONSIEUR. EN EFFET. RIEN DANS LE DOSSIER DE DANE N'INDIQUAIT QU'IL SAVAIT SE BATTRE. ET POURTANT, À SA FAÇON DE BOUGER ET DE FRAPPER, JE PEUX VOUS ASSURER QU'IL SE DÉBROUILLE EXACTEMENT COMME UN PRO.

COMME UN PRO. C'EST INTÉRESSANT, ÇA. VOUS CONFIRMEZ LES DÉCLARATIONS DE M. BOGART, AGENT BIEDERMAN ?

OUI, M. KRAUSE. LA CIBLE A FAIT MONTRE DE CAPACITÉS QU'ELLE N'A PU ACQUÉRIR QUE GRÂCE À UN ENTRAÎNEMENT INTENSIF AU COMBAT RAPPROCHÉ.

NICHOLAS DANE, TRENTE-QUATRE ANS. PROFESSEUR DE LITTÉRATURE ANGLAISE. A FAIT PARTIE D'UNE ÉQUIPE DE NATATION AU LYCÉE. FAIT SON JOGGING DE TEMPS EN TEMPS. ÇA NE COLLE PAS.

JE NE VOIS PAS MÊME LA MOINDRE MENTION D'UNE BAGARRE DE COUR DE RÉCRÉ DANS SON DOSSIER SCOLAIRE.

DE PLUS EN PLUS CURIEUX.

JE NE VEUX PLUS VOUS VOIR, TOUS LES DEUX. ROMPEZ.

JE PENSE QUE VOUS SEREZ HEUREUX D'APPRENDRE QU'UNE ÉQUIPE EST EN POSITION DEVANT CHEZ LES CLIFFORD. LE PROBLÈME DEVRAIT ÊTRE RÉGLÉ D'ICI...

EXCELLENT, MATTHEW. MERCI.

IL Y A UN AUTRE DÉTAIL DONT JE VOULAIS VOUS PARLER...

HMMM ?

IL SEMBLERAIT QUE DANE AIT PASSÉ UN COUP DE TÉLÉPHONE DE SA CHAMBRE D'HÔPITAL, PEU DE TEMPS AVANT NOTRE TENTATIVE D'ÉLIMINATION.

UNE DIZAINE DE MINUTES.

UN NUMÉRO EN CALIFORNIE. CELUI D'UN CERTAIN DENNIS CARRERA.

CARRERA... CE NOM ME DIT QUELQUE CHOSE...

CARRERA. CARRERA. CARRERA. VOILÀ !

CARRERA, SHIZUKO.

SHIZUKO CARRERA ÉTAIT À BORD DU VOL 654.

SON MARI S'APPELLE DENNIS.

MAIS POURQUOI DANE IRAIT-IL APPELER LE MARI D'UNE DES VICTIMES DU CRASH ?

IL N'A PAS CONTACTÉ LES RENSEIGNEMENTS POUR OBTENIR LE NUMÉRO, DONC IL DEVAIT CONNAÎTRE LES CARRERA, D'UNE FAÇON OU D'UNE AUTRE.

ENCORE UN MYSTÈRE. QUI DEMEURERA NON RÉSOLU. J'AI D'AUTRES TÂCHES À ACCOMPLIR, ET NICHOLAS DANE NE DEVRAIT PLUS ÊTRE NOTRE PROBLÈME...

DANS HUIT MINUTES...

VOILÀ. DANS HUIT MINUTES, DANE SER LE PROBLÈME DE SON CROQUE-MORT.

MATTHEW, ENVOYEZ-MOI UNE VOITURE, ET PRENEZ-MOI UNE RÉSERVATION À DÉJEUNER DANS UN BON RESTAURANT. J'AI ENVIE DE ME SOIGNER UN PEU, AUJOURD'HUI.

JE M'EN CHARGE.

OH... MATTHEW ?

OUI, M. KRAUSE ?

LES DEUX AGENTS QUI ÉTAIENT DANS MON BUREAU... BOGART ET BIEDERMAN... FAITES-LES ÉLIMINER. EN TOUTE DISCRÉTION. JE NE TOLÈRE PAS L'ÉCHEC À MON SERVICE.

CE SERA FAIT, MONSIEUR.

TU SAIS COMBIEN D'ARGENT JE POURRAIS ME FAIRE EN LE LIVRANT ET EN ÉCRIVANT SON HISTOIRE ?

CLIFF, NE COMMENCE PAS. IL A BESOIN D'AIDE, ET J'AURAIS PRÉFÉRÉ QU'ON NE LE LAISSE PAS SORTIR.

JE LUI AI DIT DE PASSER PAR DERRIÈRE, JUSTE AU CAS OÙ DES TUEURS DU GOUVERNEMENT L'ATTENDRAIENT DEVANT.

CE N'EST PAS DRÔLE.

BARBARA, NE T'EN FAIS PAS. JE NE PENSE PAS QU'IL SOIT UN TERRORISTE. MAIS JE PENSE QU'IL LUI MANQUE UNE CASE, PAR CONTRE.

JE VEUX L'AIDER À DÉCOUVRIR CE QUI SE PASSE. C'EST LE MIEUX QUE NOUS PUISSIONS FAIRE. ET ON NE PEUT PAS LE GARDER PRISONNIER, QUAND MÊME. IL AVAIT BESOIN DE PRENDRE DEUX OU TROIS CHOSES À LA SUPÉRETTE DU COIN...

KNOK KNOK

TIENS, C'EST PROBABLEMENT LUI. S'IL A PERDU MES CLÉS, JE LE TUE.

JE VAIS VOIR. BON, JE VAIS ESSAYER DE NE PAS M'ATTARDER À L'AGENCE. JE VAIS RAMENER DU BOULOT À FAIRE ICI...

JE LEUR DIRAI QUE JE SUIS MALADE À CREVER. ÇA LEUR FERA LES PIEDS...

ALORS BARB ? IL A PERDU MES CLÉS, C'EST ÇA ?

JE NE SAIS PAS CE QUE JE VAIS FAIRE... C'ÉTAIT LE SEUL JEU QUE...

BON DIEU... IL N'EST PAS LÀ...

L'ENCULÉ... IL AVAIT RAISON...

OÙ EST-IL ?

OÙ EST-IL, MERDE ?

>TOUSSE<
>TOUSSE<

CLIFF ?

T'AVAIS... RAISON...

NE DIS RIEN. JE VAIS APPELER DE L'AIDE. TIENS BON !

ALLÔ ? ICI BOB CLIFFORD... J'HABITE RÉSIDENCE MONTGOMERY... MA FEMME A ÉTÉ ASSASSINÉE... DÉPÊCHEZ-VOUS, S'IL VOUS PLAÎT !

JE SUIS DÉSOLÉ DE VOUS AVOIR EMBARQUÉ LÀ-DEDANS...

TELLEMENT DÉSOLÉ...

JE DOIS PARTIR... IL NE FAUT PAS QU'ILS M'ATTRAPENT. IL Y A TANT DE CHOSES PAS ENCORE RÉGLÉES...

"QUE DIEU ME PARDONNE..."

Il semblerait que Dane ait passé un coup de téléphone de sa chambre d'hôpital, peu de temps avant notre tentative d'élimination.

Un numéro en Californie. Celui d'un certain Dennis Carrera.

Shizuko Carrera était à bord du vol 654. Son mari s'appelle Dennis.

Mais pourquoi Dane irait-il appeler le mari d'une des victimes du crash ?

Il n'a pas contacté les renseignements pour obtenir le numéro, donc il devait connaître les Carrera, d'une façon ou d'une autre.

Encore **un mystère**.

VOITURE !

BRANDON, C'EST QUOI TOUT CE TRAFIC, À CETTE HEURE ?

OUAIS, SANS DÉCONNER ! C'EST LA TROISIÈME BAGNOLE EN GENRE UNE DEMI-HEURE ! IL DEVRAIT Y AVOIR PERSONNE AVANT L'HEURE OÙ LE PATRON À PIERRAFEU ANNONCE LA FIN DU BOULOT !

C'EST PAS COMME ÇA QUE ÇA SE PASSE, MEC ! C'EST LE PIAF ! TU SAIS, IL LUI TIRAIT LA QUEUE, ET ALORS LE PIAF GUEULAIT QUE C'ÉTAIT LA FIN DU BOULOT.

QUOI ?

MEC, TU REGARDES TROP LA TÉLOCHE.

ALORS, BILL ET TED, ON JOUE ?

KRISH!

OH M...

BRANDON, MEC, T'ES VRAIMENT UN BOULET.

HÉ, LES MECS, VIREZ DU PASSAGE, QUOI !

BEN MERDE, ON DIRAIT QU'IL S'EN TAPE, GENRE.

OU ALORS IL EST SI RICHE QUE C'EST RIEN, POUR LUI.

OU ALORS IL A UN TRUC PLUS IMPORTANT À FAIRE QUE DE TE BOTTER LE CUL.

OUAIS, BEN TANT MIEUX, ALORS.

REPENT ?
QU'EST-CE QUE
VOUS FAITES
ICI ?

SALUT,
KRAUSE.

ABEL...
J'AURAIS DÛ M'EN
DOUTER. LE CARDINAL
NE ME FAIT PLUS
CONFIANCE, C'EST
ÇA ?

ILS ONT PEUR
QUE TU...

OUAIS, C'EST ÇA,
EN FAIT. MAIS T'EN
FAIS PAS, ILS N'EN
SONT PAS ENCORE
À VOULOIR QU'ON
TE TUE.

JE ME DEMANDAIS QUAND VOUS ALLIEZ ARRIVER, VOUS. SI VOS APPARITIONS SOUDAINES NE ME FONT MÊME PLUS SURSAUTER, C'EST QUE ÇA VA VRAIMENT MAL.

IL N'ÉTAIT PEUT-ÊTRE PAS UN HOMME BON, MAIS IL ESSAYAIT D'EN ÊTRE UN.

QUI ?

MARCUS SMALL, LE BOXEUR. IL N'ÉTAIT QU'UN PETIT VOYOU AVANT DE DÉBUTER DANS LE CIRCUIT PROFESSIONNEL. ET MÊME AINSI, IL N'A PU ÉCHAPPER À SON PASSÉ.

IL A VOULU FAIRE LES CHOSES BIEN, MAIS ÇA LUI A COÛTÉ TOUT CE À QUOI IL TENAIT.

SUPER. GÉNIAL. ET MAINTENANT IL EST DANS MA TÊTE. ET JE N'EN PEUX PLUS. VOUS PIGEZ ? JE VEUX QUE MARCUS SMALL ET LES AUTRES SORTENT DE MA CERVELLE !

IL EST TROP TARD POUR ÇA, NICHOLAS. LA BALANCE EN A DÉCIDÉ AINSI.

OUAIS, OUAIS, VOUS ME L'AVEZ DÉJÀ FAIT COMPRENDRE. MAIS ÇA VEUT DIRE QUOI, AU JUSTE. POURQUOI JE SUIS COINCÉ AVEC ÇA ?

LES PASSAGERS DU VOL 654, MARCUS SMALL Y COMPRIS, ÉTAIENT TOUS SPÉCIAUX, AUX YEUX DE LA BALANCE. ILS ONT ÉTÉ REPRIS AU MONDE AVANT LEUR TEMPS.

ALORS C'EST À MOI DE SOLDER LES COMPTES DE LEUR VIE ? C'EST ÇA ? J'AI COMPRIS LE DÉLIRE ?

DIS-TOI QUE TU ES LEUR CHAMPION. ILS T'ONT LÉGUÉ LEURS TALENTS, CE QUI LES RENDAIT SPÉCIAUX EN TANT QU'INDIVIDUS. AFIN QUE TU RÈGLES LES AFFAIRES QU'ILS ONT LAISSÉES DERRIÈRE EUX, ET QUE TU VENGES LEUR ASSASSINAT.

COMMENT ÇA, ASSASSINAT ?

ILS ONT ÉTÉ ASSASSINÉS ET TOI AVEC.

BON, IL EST PEUT-ÊTRE TEMPS DE M'EXPLIQUER LA BALANCE...

COMME SON NOM L'INDIQUE, C'EST L'ÉQUILIBRE ENTRE TOUTES CHOSES. LUMIÈRE ET TÉNÈBRES, YIN ET YANG, BIEN ET MAL, SI CES CONCEPTS NE TE CHOQUENT PAS. LA BALANCE EST LE POUVOIR QUI EMPÊCHE LES DÉBORDEMENTS DES FORCES OPPOSÉES.

CEUX QUI ONT FAIT SAUTER L'AVION ONT DÉSÉQUILIBRÉ LA BALANCE.

ET CE SONT EUX QUI VEULENT MA MORT, C'EST ÇA ?

J'EN AI SANS DOUTE DÉJÀ TROP DIT. TU EN APPRENDRAS PLUS À MESURE QUE LA SITUATION AVANCERA. NAVRÉE.

ET SI JE REFUSE DE JOUER À CE PETIT JEU ? QU'EST-CE QUE FERA LA TOUTE PUISSANTE BALANCE ?

MON RAPPORT INDIQUERA CLAIREMENT QUE JE N'APPROUVE PAS VOS MÉTHODES, REPENT. L'ÉLIMINATION EST UNE CHOSE, LA TORTURE EN EST UNE AUTRE.

CE SONT LES RISQUES DU MÉTIER.

IRING RING

KRAUSE...

C'EST MATTHEW, M. KRAUSE. AVEC DE MAUVAISES NOUVELLES.

DITES-MOI.

NOS REPRÉSENTANTS SONT ARRIVÉS SUR LES LIEUX, POUR DÉCOUVRIR QUE NOTRE AMI ÉTAIT PARTI.

IL Y AVAIT QUELQU'UN SUR PLACE À QUI IL AURAIT PU PARLER ?

LES CLIFFORD ÉTAIENT CHEZ EUX. NOUS AVONS RÉDUIT BARBARA AU SILENCE POUR AVOIR BARRE SUR SON MARI. ET TOUT CE QU'IL A PU DIRE, C'ÉTAIT QUE DANE ÉTAIT PARTI DANS LA MATINÉE.

CE QUI NOUS AMÈNE AU SECOND PROBLÈME.

QUOI ENCORE ?

ROBERT "CLIFF" CLIFFORD EST TOUJOURS VIVANT. DANS UN ÉTAT CRITIQUE, MAIS VIVANT. VOULEZ-VOUS QUE JE M'EN OCCUPE PERSONNELLEMENT, MONSIEUR ?

NON. CE N'EST RIEN. NOUS TRAITERONS CE CONTRETEMPS PLUS TARD.

MATTHEW, PAR AILLEURS, Y AVAIT-IL QUOI QUE CE SOIT DE... D'EXOTIQUE, DANS L'APPARTEMENT DE DANE ?

D'EXOTIQUE ?

PAR EXEMPLE... Y AVAIT-IL LE MOINDRE INDICE D'UN QUELCONQUE INTÉRÊT DE DANE POUR L'ORIGAMI ?

NON. AUCUN INDICE D'AUCUNE CAPACITÉ ARTISTIQUE D'AUCUNE SORTE.

VOUS TENEZ UNE PISTE, MONSIEUR ?

NON, CE N'EST PROBABLEMENT RIEN.

BON. BONNE NUIT, MONSIEUR.

QU'Y A-T-IL, KRAUSE ?

JUSTE UNE INTUITION BIZARRE.

MON PÈRE,
VOUS AURIEZ DÛ GARDER
ÇA POUR VOUS. PARDONNEZ-
MOI, MAIS LES CARDINAUX
N'APPRÉCIENT GUÈRE LES
MIRACLES. ILS ONT DES PLANS
POUR L'AVENIR, ET CEUX-
CI EXCLUENT LA FOI.

SEIGNEUR
...

GUERRA...
C'ÉTAIT ÇA, TON NOM ?
JE VEUX PAS SAVOIR
QUEL ÉTAIT TON COMPTE
À RÉGLER, À TOI.

KRAUSE...

EXCELLENT, MATTHEW. POURSUIVEZ.

OUI, MERCI, MATTHEW. CE SERA D'UNE GRANDE AIDE. MAIS VOUS DEVRIEZ RENTRER. LA NUIT A ÉTÉ LONGUE. MERCI ENCORE.

ALORS ?

ALORS C'EST ÉTRANGE. COMME TOUT LE RESTE DE CETTE AFFAIRE.

M. KRAUSE, VOUS ÊTES AU SERVICE DES CARDINAUX. IL N'Y A PLUS GRAND-CHOSE QUI DEVRAIT VOUS SUR-PRENDRE, À PRÉSENT.

CE GENRE DE CHOSE SURPREND TOUJOURS D'UNE FAÇON OU D'UNE AUTRE. ET J'AI TENTÉ PENDANT SIX ANS DE LES ÉRADIQUER DE CE MONDE ET DE LA CONSCIENCE COLLECTIVE, POUR LE COMPTE DE NOS EMPLOYEURS.

UN MIRACLE.

MATTHEW A REMONTÉ LES APPELS QUE M. DANE A PASSÉS DE L'APPARTEMENT DE SON EX-FEMME.

QU'A-T-IL TROUVÉ ?

DANE A APPELÉ DENNIS CARRERA DE L'HÔPITAL. MAIS MÊME SOUS LA TORTURE, CARRERA A NIÉ CONNAÎTRE DANE.

IL SEMBLE À PRÉSENT QUE M. DANE TENTE DE CONTACTER LA FEMME DU BOXEUR MARCUS SMALL.

NOUS DEVRIONS PEUT-ÊTRE RENDRE UNE PETITE VISITE À MME SMALL, ALORS...

MATTHEW A DÉJÀ ENVOYÉ UNE ÉQUIPE SUR PLACE. PERSONNE N'A PLUS VU LA VEUVE DEPUIS LES FUNÉRAILLES DE SON MARI.

ET DANE A PASSÉ UN AUTRE APPEL. FORT INTÉRESSANT. À SONNY PENNUCCI.

CE PETIT CAÏD POURRI ? FRANCHEMENT, JE NE VOIS PAS OÙ EST LE MIRACLE, LÀ.

NON ? EH BIEN, QUAND J'AI ÉTÉ VOIR DANE À L'HÔPITAL, IL FAISAIT DE L'ORIGAMI. ET NOS RECHERCHES MONTRENT QU'IL N'AVAIT JAMAIS MONTRÉ LE MOINDRE TALENT DANS CE DOMAINE. MAIS CE TYPE QUE VOUS AVEZ TUÉ HIER, CARRERA... SA FEMME ADORAIT L'ORIGAMI. ELLE EST MORTE DANS L'AVION. COMME MARCUS SMALL. ET QUAND DANE S'EST ÉCHAPPÉ DE L'HÔPITAL, MES HOMMES L'ONT VU SE BATTRE COMME UN PROFESSIONNEL. J'AI PENSÉ QU'ILS EXAGÉRAIENT. MAINTENANT, J'AI UN DOUTE.

C'EST-À-DIRE ?

IL A APPELÉ CARRERA POUR LUI DIRE QUE SA FEMME L'AIMAIT. IL ESSAIE DE RETROUVER LA FEMME DE SMALL. PEUT-ÊTRE POUR LES MÊMES RAISONS.

ON PEUT FACILEMENT TROUVER LE LIEN ENTRE SMALL ET PENNUCCI : SA "FAMILLE" PLAÇAIT PAS MAL D'ARGENT DANS LES PARIS SUR LES COMBATS. EN PAYANT UN DES BOXEURS POUR SE COUCHER. LE FBI EST SUR SA PISTE DEPUIS DES ANNÉES, MAIS N'A JAMAIS RÉUSSI À PROUVER QUOI QUE CE SOIT. ET ON PENSE QUE LE COMBAT SMALL-GRAZZINI ÉTAIT TRUQUÉ, SAUF QU'ON N'A PAS DE PREUVE NON PLUS. ET SI SMALL ÉTAIT CENSÉ SE COUCHER MAIS NE L'A PAS FAIT, PENNUCCI AURA VOULU SE VENGER.

SAUF QUE SMALL EST MORT.

ET DONC PENNUCCI SE PAYE SUR SA FEMME. ÇA S'EST DÉJÀ VU. ET SI NOUS AVONS RÉUSSI À COMPRENDRE ÇA, ALORS DANE L'AURA FAIT AUSSI. FAUT-IL CONTACTER LES CARDINAUX AVANT D'IMPLIQUER CE GANG ?

JE NE PENSE PAS QUE LES CARDINAUX S'INQUIÈTENT DE FÂCHER LA MAFIA.

À SCARSDALE, CHAUFFEUR ! ET VITE !

L'ENFOIRÉ...

L'ENFOIRÉ !

SONNY ?

OUI CARLO... TU VOIS PAS QUE JE REGARDE LE MATCH ?

JE SAIS, SONNY, MAIS...

QUELLES SONT LES RÈGLES ?

ET TU ES ENCORE LÀ ?

ELLE S'EST RÉVEILLÉE, SONNY.

FALLAIT LE DIRE TOUT DE SUITE !

ÇA VA, BOSS ? M. PENNUCCI, VOUS SAIGNEZ !

ET TOI, T'ES QU'UN PETIT CONNARD. POURQUOI T'AS PAS SORTI TON ARME ? POURQUOI JE TE PAYE ? JE DEVRAIS TE FUMER MOI-MÊME !

DÉSOLÉ, CHEF. JE NE... J'AVAIS PAS L'IMPRESSION QU'ELLE ÉTAIT EN ÉTAT DE FAIRE DE VRAIS DÉGÂTS...

C'EST CENSÉ ÊTRE DRÔLE ?

ÇA RESSEMBLE À DES VRAIS DÉGÂTS, P'TIT CON ?

EUH, NON, MAIS... JE...

ET TOI, T'ES QUI, ALORS ?

QUOI ? T'ES PAS CONTENT DE ME REVOIR, SONNY ?

MARCUS ?

JE SUIS LÀ, BABY...

IL EST LÀ.

CARLO !

IL EST MORT, SONNY. COMME LES AUTRES. COMME MARCUS DANS L'AVION. MAIS IL NE VOULAIT PAS TE LAISSER T'EN TIRER APRÈS CE QUE TU AS FAIT À VICKY.

C'EST LE DERNIER. BRÛLEZ-LE.

ONZE MORTS, DONT PENNUCCI LUI-MÊME. MAIS IL N'A PAS PU FAIRE ÇA... NOTRE PETIT PROF N'A MÊME PAS FAIT SON SERVICE MILITAIRE.

SAUF SI T'AS RAISON, KRAUSE.

SAUF S'IL A UN COUP DE MAIN DE TOUS CEUX QUE TU AS FAIT SAUTER. POURQUOI CETTE OPÉRATION, D'AILLEURS ? C'EST QUOI, LE SECRET ?

ENTRE AMIS, PAS DE SECRETS...

LES CARDINAUX AVAIENT DÉCIDÉ D'UN... D'UN GENRE DE PLAN SOCIAL. TROP DE TUEURS À LEUR SERVICE. J'AI PROPOSÉ UNE RÉUNION AVEC CINQ D'ENTRE EUX, ET JE ME SUIS ARRANGÉ POUR QU'ILS SOIENT TOUS DANS LE MÊME AVION.

ET TU AS TUÉ PLUS DE CENT CINQUANTE INNOCENTS POUR EFFACER JUSTE CINQ TUEURS ?

DAVID, J'ADORE TON STYLE.

ÇA ME TOUCHE BEAUCOUP.

ON AURAIT DÛ APPORTER DES CHAMALLOWS. J'ADORE LES CHAMALLOWS.

Je me souviens d'une femme… Une hôtesse de l'air.
Je ne l'avais pas remarquée avant qu'elle ne m'adresse la parole.
Elle m'a dit que tout irait bien.

Et pour un instant… Un instant seulement… Je l'ai crue.

Puis tout est devenu **noir**.

NOS SOUPÇONS SE VÉRIFIENT. NICHOLAS DANE EST DEVENU LE RÉCIPIENDAIRE D'UN DON SURNATUREL. IL EST PROBABLE QU'IL AIT ÉTÉ CHOISI POUR S'OPPOSER À NOUS.

HÉ... OÙ JE SUIS, LÀ ?

C'EST QUOI, TOUT CE CIRQUE ? HÉ !

NOUS EN SOMMES ABSOLUMENT CERTAINS ?

SOUVENEZ-VOUS QUE NOUS AVONS DÉJÀ CRU À DES INTERVENTIONS, ET QU'IL S'EST AVÉRÉ QUE...

JE N'AI PAS DIT QU'IL S'AGISSAIT D'UNE INTERVENTION DIVINE. QUELLES SERAIENT LES CHANCES D'UNE TELLE CHOSE ?

MAIS J'EN AI DISCUTÉ AVEC NOS GENS, IL Y A MOINS D'UNE HEURE.

CERTES.

SI J'EN CROIS LEUR RAPPORT, JE PENSE QUE NOUS DEVRIONS TRAVAILLER SUR L'HYPOTHÈSE SELON LAQUELLE LA BALANCE S'ATTAQUE À NOUS.

HÉ... SI LA BALANCE EST CONTRE NOUS, ÇA VEUT DIRE QU'ON AVAIT L'AVANTAGE, NON ?

MAIS BON SANG, À QUOI EST-CE QUE VOUS JOUEZ, BANDE DE DINGUES ?

VOILÀ UNE QUALITÉ QUE J'APPRÉCIE, CHEZ TOI, ROLAND... TON OPTIMISME.

NE PRENEZ PAS CETTE SITUATION À LA LÉGÈRE, MESSIEURS. ÇA POURRAIT NOUS COÛTER CHER.

NOUS DEVONS REDOUBLER D'EFFORTS. LES AGENTS DE LA BALANCE PEUVENT COMPROMETTRE DURABLEMENT NOTRE MISSION.

ALORS ATTENDEZ, LÀ...
JE SAIS PAS SI VOUS SAVEZ,
MAIS JE SUIS UN RÉVÉREND
ORDONNÉ DE L'ÉGLISE DE
LA TÉNÈBRE ÉTERNELLE.

SATAN ? JE LE
VÉNÈRE, COMME LE
FONT TOUS MES AMIS
ICI PRÉSENTS.

NOUS PROGRESSONS,
CARDINAL JAMESON.

LES AGENTS ABEL ET
REPENT ONT COORDONNÉ
LEUR ACTION AVEC CELLE DE
NOTRE AMI DU GOUVERNE-
MENT POUR ÉLIMINER
NOTRE ENCOMBRANT
SURVIVANT.

J'AIME LE SEIGNEUR SOMBRE.
VOUS M'ENTENDEZ ? BON DIEU...
J'AI DES MONTAGNES DE POGNON.
SI C'EST CE QUE VOUS RECHERCHEZ,
JE SUIS SÛR QU'ON PEUT...

TOUT EST LA FAUTE DE KRAUSE.
DANE AURAIT DÛ MOURIR DANS LE
CRASH DU VOL 654, C'EST AUSSI
SIMPLE QUE ÇA.

MAIS IL A
SURVÉCU, JAMESON.
IL FAUT S'EN
ACCOMMODER.

HÉ...

C'EST
AUSSI SIMPLE
QUE ÇA.

NON !

CLIFF ? JE NE SAIS PAS SI TU PEUX M'ENTENDRE. OU SI TU AS ENVIE D'ENTENDRE CE QUE J'AI À DIRE.

LES GENS QUI T'ONT FAIT ÇA... CEUX QUI ONT TUÉ BARBARA... C'EST CE QU'ILS FONT, CLIFF... POUR EUX, C'ÉTAIT SANS DOUTE UN TRUC DE ROUTINE... MAIS ILS VONT ME SENTIR PASSER, C'EST PROMIS.

JE SAIS CE QUE TU PENSES, CLIFF... TU TE DEMANDES COMMENT JE VAIS RÉUSSIR À NE PAS ME FAIRE TUER...

IL N'Y A PAS LONGTEMPS, ME COUPER AVEC UNE FEUILLE DE PAPIER, C'ÉTAIT TOUT UN DRAME. MAIS ÇA, C'ÉTAIT AVANT. AVANT QU'ON NE ME VOLE MA VIE.

QUELQUE CHOSE... D'ÉTRANGE... M'EST ARRIVÉ DEPUIS LE CRASH. J'AI REÇU DE L'AIDE, D'UNE FAÇON BIZARRE. FAUDRA QUE JE TE RÉSERVE L'EXCLUSIVITÉ, QUAND TOUT SERA FINI.

IL VA FALLOIR QUE J'Y AILLE. JE CROIS QUE CES TYPES TE SURVEILLENT ENCORE. PRENDS GARDE À TOI.

CLIFF... JE SUIS DÉSOLÉ, POUR BARBARA. ELLE ÉTAIT TROP BIEN POUR MOI. MAIS ÇA, TU LE SAIS DÉJÀ.

OUAIS ?

C'EST LA PIZZA.

Y AVAIT PLUS DE PEPERONI. UNE GARNITURE AU C4, ÇA IRAIT ?

PLUS DE PEPERONI.

JE ME PASSERAI DE C4. FAITES COMME CHEZ VOUS.

ON A DÉJÀ ÉTÉ EN AFFAIRES ?

C'EST UN AMI QUI VOUS A RECOMMANDÉ.

GUERRA, HEIN ? JE VEUX PAS ÊTRE DÉSAGRÉABLE, MAIS IL A CASSÉ SA PIPE. COMMENT JE PEUX SAVOIR QUE C'ÉTAIT VRAIMENT TON POTE ?

LE ZAÏRE, IL Y A DEUX ANS. GUERRA VOUS A AIDÉ À RÉGLER UN PETIT SOUCI AVEC UN CONCURRENT. ET VOUS A RAPPORTÉ LES OREILLES EN SOUVENIR.

EN ESPÈCES, OU PAR CARTE BLEUE ?

GUERRA ME DEVAIT QUELQUES SERVICES. JE PEUX VOUS DONNER LE NUMÉRO D'UN COMPTE À ZURICH. VOUS CONNAISSEZ LA MUSIQUE...

J'AI SUIVI VOTRE LISTE, ET J'Y AI AJOUTÉ DES PETITS TRUCS QUE VOUS POURRIEZ APPRÉCIER. GENRE UN GLOCK 19, NON MODIFIÉ. QUINZE BALLES DE 9 MM PAR CHARGEUR...

UN LOT DE COUTEAUX DE LANCER MOELLER VIPER. PARFAITEMENT ÉQUILIBRÉS.

ET UNE DOUZAINE DE MINI-GRENADES V40, HOLLANDAISES. J'EN AVAIS DE RAB. C'EST MON PETIT GESTE COMMERCIAL. PLUS QUELQUES PETITS BONUS, DU GENRE DONT UN HOMME DE LA RENAISSANCE NE SAURAIT SE PASSER.

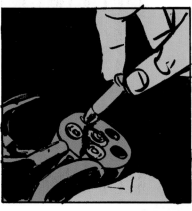

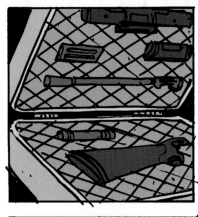

ALORS, ÇA VOUS VA ?

C'EST PARFAIT. DÉSOLÉ. ET VOUS AVEZ L'AUTRE OBJET QUE J'AVAIS COMMANDÉ ?

C'EST UN TRUC QUE JE N'AI PAS EN STOCK, EN GÉNÉRAL. MAIS J'AI DES CONTACTS À HOLLYWOOD, ALORS...

SUPER...

ALORS, VOUS FAITES QUOI ? EXTORSION ? ASSASSINAT ? ESPIONNAGE INDUSTRIEL ?

VOYONS, DEZ... TU SAIS BIEN QUE SI JE TE LE DIS, JE SERAI OBLIGÉ DE TE TUER ENSUITE.

ÇA DOIT ÊTRE TERRIBLE, POUR TOI, REPENT... ÇA FAIT BIEN QUINZE HEURES QUE TU N'AS TUÉ PERSONNE. JE DEVRAIS APPELER MATTHEW, QU'IL T'APPORTE UNE CAISSE DE PETITS CHIOTS.

NAN...

DES CHATONS.

JE PENSE QU'EN TOUTE LOGIQUE, NOUS POUVONS EXTRAPOLER DEUX FACTEURS. PRIMO, LA SIMPLICITÉ. POUR MADAME CARRERA, IL A RÉGLÉ L'AFFAIRE EN UN COUP DE FIL. SECUNDO, IL Y A QUELQUE CHOSE QUI NOUS SERA UTILE.

C'EST-À-DIRE ?

L'URGENCE. LA VEUVE DE MARCUS SMALL ÉTAIT EN DANGER PHYSIQUE. SA SITUATION EST DEVENUE PRIORITAIRE.

ET QUI EST PRIORITAIRE, À PRÉSENT ? L'ASSASSIN VENGEUR ÉLIMINÉ PAR SON PATRON ?

PROBABLEMENT PAS. GUERRA ET MOI AVIONS UNE PROCÉDURE POUR NOUS RENCONTRER DANS DES ENDROITS NEUTRE IL NE SAURA PAS OÙ ME TROUVER.

NON. CETTE AFFAIRE-LÀ DEVRA ATTENDRE.

LEURS VIES ONT L'AIR TELLEMENT BANALES... MAIS J'IMAGINE QU'ELLES AVAIENT UN SENS POUR EUX. UNE FEMME AU FOYER QUI PRENAIT L'AVION POUR RETROUVER SON FRÈRE PERDU... UN HOMME D'AFFAIRES SE RENDANT À UNE RÉUNION QUI RISQUAIT DE VOIR SON ENTREPRISE FAMILIALE RACHETÉE PAR UN CONCURRENT...

LES BRUSCO, QUI ALLAIENT VOIR LEUR PREMIER PETIT-FILS... UN ACTEUR SUR LE RETOUR QUI ALLAIT VOIR LA PREMIÈRE D'UNE PIÈCE QU'IL AVAIT ÉCRITE... UNE FEMME AVEC UN CANCER DU FOIE, QUI...

MINUTE... C'EST QUI, L'ACTEUR ?

MITCHELL KNOX. JEUNE PREMIER DANS LES ANNÉES 50, AU CHÔMAGE DEPUIS UNE VINGTAINE D'ANNÉES. A FINI PAR SE RECYCLER COMME AUTEUR ET PRODUCTEUR DANS LES COMÉDIES MUSICALES DE BROADWAY. "ALLUME LE POSTE, ÇA PASSE PARTOUT".

POURQUOI ÇA ?

S'IL SE RENDAIT À LA PREMIÈRE...

REGARDE DANS LE JOURNAL...

KRAUSE, TU TIENS QUELQUE CHOSE...

"ALLUME LE POSTE, ÇA PASSE PARTOUT", PAR MITCHELL KNOX...

LA PREMIÈRE EST CE SOIR.

ILS SAVENT, NICHOLAS. CEUX QUI SERVENT LA CAUSE DU CHAOS ONT COMPRIS LA NATURE DE TON DON.

POUR CE QUE J'EN AI VU, CE SONT DES MALINS. CE N'ÉTAIT QU'UNE QUESTION DE TEMPS...

ILS CHERCHENT À TE RETROUVER EN ÉTUDIANT LES VIES DE CEUX QUI SONT MORTS DANS L'AVION. ILS SE RAPPROCHENT, NICHOLAS.

LA TÉNÈBRE TE CRAINT, PARCE QU'ELLE EST FORTE, ET QUE TU REPRÉSENTES LA BALANCE. ELLE A LA VOLONTÉ ET LE POUVOIR DE TE DÉTRUIRE. ET TU DOIS L'EMPÊCHER.

SOIS PRUDENT, CAR TU AS ENCORE BEAUCOUP À APPRENDRE. ET TANT À PERDRE.

JE N'AI PAS ENVIE DE CONTINUER À FUIR, VERDANDI. IL Y A UN VRAI MÉCHANT, DANS MA TÊTE, QUI NE ME LAISSERA PAS FAIRE. SAVERIO, QU'IL S'APPELLE. PAS LE PREMIER AU HIT-PARADE, MAIS IL PASSE SON TEMPS À ME CHUCHOTER DES TRUCS, À PRÉSENT...

JE VEUX AIDER LES AUTRES AVANT. MAIS SAVERIO ET MOI AVONS UN COMPTE À RÉGLER.

MAIS AVANT TOUT, LE SPECTACLE DOIT CONTINUER.

ET C'EST SUR QUELLE CHAÎNE, TON CHEF D'ŒUVRE, DONALD ?

ALLUME LE POSTE, ÇA PASSE PARTOUT.

TE FICHE PAS DE MOI...

JE SUIS SÉRIEUX ! C'EST UNE PUB POUR KK COLA.

DONALD, J'AI HONTE POUR TOI. DÉJÀ QUE TU AVAIS ABANDONNÉ LE CINÉMA POUR LA TÉLÉ... MAIS MAINTENANT, TU FAIS DE LA PUBLICITÉ ?

C'EST MA VIE, MAMAN. PAS LA TIENNE.

EXCUSEZ-MOI... VOUS NE POUVEZ PAS ENTRER... LE SPECTACLE EST COMMENCÉ, ET...

UN PAS DE PLUS, ET J'APPELLE LA POLICE ! JE REFUSE QU'ON PERTURBE LE SPECTACLE...

VOUS FAITES OBSTRUCTION À DES AGENTS FÉDÉRAUX EN SERVICE. SI VOUS VOULEZ ÉVITER LA TAULE, LAISSEZ PASSER !

ON NE PEUT PAS ESSAYER D'ÊTRE RAISONNABLES ? C'EST PRESQUE TERMINÉ... VOUS NE POUVEZ PAS ATTENDRE UN PEU ?

JE ME PLAINDRAI À MON DÉPUTÉ.

ALORS JE LE BUTERAI AUSSI.

IL FAUT QUE TU COMPRENNES, DONALD... C'EST MON MONDE, ÇA... LA SCÈNE, LES LUMIÈRES, LE MAQUILLAGE ET CE PETIT GROUPE DE GENS FACE À MOI... C'EST TRÈS INTIME, EN UN SENS. JE SAIS QUE JE PEUX LES TOUCHER. ET JE LES TOUCHE, ET JE PEUX LES OBLIGER À M'AIMER... C'EST LE POUVOIR DE LA SCÈNE, ET J'EN AI BESOIN... ALORS QUE SUR ÉCRAN, JE ME SENS DÉCONNECTÉE... C'EST POUR ÇA QUE ÇA M'A TOUJOURS TERRIFIÉE...

MAIS... MAMAN... TU ES UNE STAR.

CLAP CLAP CLAP CLAP CLAP CLAP CLAP

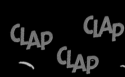

ALORS, MITCHELL ? T'ES CONTENT ? ILS ADORENT... ILS ONT DES GOÛTS DE CHIOTTE, HEIN ?

DANE ! STOP !

TU SAIS CE QUE JE PEUX FAIRE. CE QUE JE SUIS DEVENU. JE LE SENS... ÇA, C'EST POUR GUERRA. ET POUR MOI. ET POUR TOUS CEUX QUI ÉTAIENT DANS CE FOUTU AVION...

ALORS TU AS SAVERIO GUERRA DANS LA TÊTE... SACHANT CE QU'IL A FAIT, ÇA DOIT ÊTRE TERRIBLE, POUR TOI.

IL L'A FAIT POUR TON COMPTE, KRAUSE... QUAND TU SERAS MORT, IL ME SORTIRA DE LA CERVELLE...

MAIS JE NE LE FAIS PAS POUR LUI, MAIS POUR MOI. POUR NOUS TOUS. CETTE FOIS-CI, CE N'EST PAS L'ESPRIT DANS MA TÊTE QUI M'UTILISE, MAIS L'INVERSE...

JE CONNAIS TOUTES TES FORCES, TOUTES TES ASTUCES... TU ES UN TUEUR, UN DES MEILLEURS... MAIS TU N'ES PAS DE TAILLE FACE À MOI... FACE À GUERRA... ET TU LE SAIS... GUERRA ÉTAIT UN TUEUR-NÉ...

ON VA BIEN VOIR.

JE SAIS CE QUE GUERRA SAVAIT. TU L'AS EMBAUCHÉ POUR TUER DES INNOCENTS.

DES GENS DONT LE SEUL CRIME ÉTAIT DE CROIRE EN UN POUVOIR PLUS GRAND. QUI AVAIENT MÊME PARFOIS VÉCU DES MIRACLES, ET AVAIENT DONC UNE FOI PROFONDE...

C'EST POURQUOI IL DEVAIT MOURIR. IL AVAIT DES REGRETS. ET IL EN SAVAIT TROP POUR SE LE PERMETTRE.

JE VEUX SAVOIR POURQUOI ILS ONT ÉTÉ TUÉS. JE VEUX SAVOIR QUI A DONNÉ LES ORDRES. QUI TIRE TES FICELLES, ESPÈCE DE SALOPARD !

QUI VEUT SAVOIR ?

MOI. NICHOLAS DANE. GUERRA VEUT TELLEMENT TA MORT QUE C'EST LA SEULE CHOSE QUI TE GARDE EN VIE. JE VEUX SAVOIR QUI EST APRÈS MOI.

TRÈS BIEN. JE M'EN FOUS, EN FAIT. JE NE SUIS PAS LE SEUL À TRAVAILLER POUR EUX. JE POURRAIS TE DIRE QUI A TUÉ KENNEDY, ET ÇA N'AURAIT AUCUNE IMPORTANCE. PERSONNE NE SORTIRA VIVANT DE CE THÉÂTRE. LES CARDINAUX ONT DES AGENTS PARTOUT.

LES CARDINAUX ?

BON, ÇA SUFFIT COMME ÇA.

OÙ ÉTIEZ-VOUS PASSÉS, VOUS DEUX ? QUAND VOUS AUREZ RÉGLÉ CETTE AFFAIRE, IL FAUDRA QU'ON CAUSE...

BLAM BLAM BLAM

MAIS QU'EST-CE QUE...

JE SUPPOSE QUE ÇA VOUS LIBÈRE DE LA PRÉSENCE DE GUERRA, NON ? MAINTENANT VOUS ÊTES SEUL, M. DANE...

PAS VRAIMENT.

PERSONNE NE BOUGE !

DES FÉDÉRAUX ?

ON A TUÉ LE SEUL QUI AVAIT UNE VRAIE PLAQUE.

DANE ?

T'EN FAIS PAS. ON AURA L'OCCASION DE LE RETROUVER.

COOL. C'ÉTAIT SUPER.

L'AMOUR, Y A QUE ÇA DE VRAI.

MEEERDE ! VOUS POURRIEZ ARRÊTER DE FAIRE ÇA ?

TU T'EN ES TRÈS BIEN TIRÉ, NICHOLAS. EN AIDANT LES PAUVRES ÂMES QUI AVAIENT DONNÉ LEURS VIES, ET EN AIDANT LA BALANCE...

ALORS TOUT LE MONDE EST CONTENT ? J'AIMERAIS SAVOIR QUOI FAIRE MAINTENANT...

ÇA VIENDRA EN TEMPS UTILE. LA BALANCE PENCHAIT DU CÔTÉ DES TÉNÈBRES, ET TU AS RÉTABLI L'ÉQUILIBRE. AVEC TON AIDE, NOUS POUVONS REMETTRE LES CHOSES EN ORDRE.

LE GOUVERNEMENT ET LES MÉDIAS ME PRENNENT POUR UN TERRORISTE. ET CES CARDINAUX, LÀ, QUI VOULAIENT DÉTRUIRE LA FOI, ILS VEULENT MA MORT. COMMENT EST-CE QUE JE PEUX AIDER LES AUTRES ÂMES EN MOI, ALORS QUE C'EST SI DUR DE RESTER SIMPLEMENT EN VIE ?

TU ES UN AGENT DE LA BALANCE. TU TROUVERAS UN MOYEN.

JE ME DOUTAIS QUE VOUS DIRIEZ ÇA.

LA SITUATION AU BELIZE A ÉTÉ RÉGLÉE. ENSUITE, QUE NOUS RESTE-T-IL À VOIR ?

NICHOLAS DANE...

NOUS AVONS RÉCUPÉRÉ TOUS LES DOSSIERS DE M. KRAUSE À CE SUJET. NOS AGENTS Y TRAVAILLENT. CE N'EST PLUS QU'UNE QUESTION DE TEMPS. DANS L'INTERVALLE, NOUS DEVONS REDOUBLER D'EFFORTS POUR SEMER LES GRAINES DU CHAOS. UN HOMME SEUL NE SUFFIRA PAS À FAIRE LA DIFFÉRENCE...

ÇA RESTE À VOIR.

LE MEURTRE SPECTACULAIRE DE L'ENQUÊTEUR ANTITERRORISTE FÉDÉRAL DAVID KRAUSE A RELANCÉ L'ENQUÊTE SUR LE CRASH DU VOL 654.

IL Y A TANT DE PERSONNES IMPLIQUÉES, À PRÉSENT, QU'IL EST PROBABLE QUE LES ACCUSATIONS DE TERRORISME PORTÉES À L'ENCONTRE DE NICHOLAS DANE SERONT BIENTÔT LEVÉES. PEU D'INFORMATIONS FILTRENT À CE STADE, MAIS ELLES SONT DÉJÀ ENCOURAGEANTES.

C'EST À SE DEMANDER SI LES CHOSES QUE DANE NOUS A DITES, À BARBARA ET MOI, N'ONT PAS UN FOND DE VÉRITÉ. JE VEUX SAVOIR QUEL SECRET ÉTAIT ASSEZ IMPORTANT POUR JUSTIFIER LA MORT DE MA FEMME.

ET POUR ÇA, IL FAUDRA QUE JE TROUVE L'HOMME AU CŒUR DE TOUT CECI. J'IGNORE OÙ TU ES, NICHOLAS, MAIS JE VAIS TE RETROUVER. ET CE JOUR-LÀ, IL FAUDRA QUE TU ME DONNES DES RÉPONSES.

FIN